Cwestiynau a Theimladau Ynghylch...

Pryderon

Wyt ti erioed wedi pryderu am rywbeth? Efallai dy fod wedi cael dy wahodd i barti ac rwyt ti'n pryderu na fyddi di'n adnabod neb arall. Neu efallai fod rhywun sy'n annwyl i ti yn sâl a dy fod di'n pryderu am beth allai ddigwydd iddo.

Mae gan bawb bryderon o bryd i'w gilydd. Mae rhieni, ffrindiau ac athrawon i gyd yn gallu pryderu. Mae'n rhan normal o fywyd.

Am beth wyt ti'n pryderu?

Pan mae pryderon yn llenwi ein pen, maen nhw'n gallu gwneud i ni deimlo'n orbryderus. Mae gorbryder yn gallu gwneud i ni deimlo'n sâl.

Efallai fod ein tu mewn yn teimlo'n simsan neu ein calonnau'n curo'n gyflymach, fod ganddon ni boen yn y bol neu ein bod ni'n colli'r awydd i fwyta.

Sut wyt ti'n teimlo pan fyddi di'n pryderu?

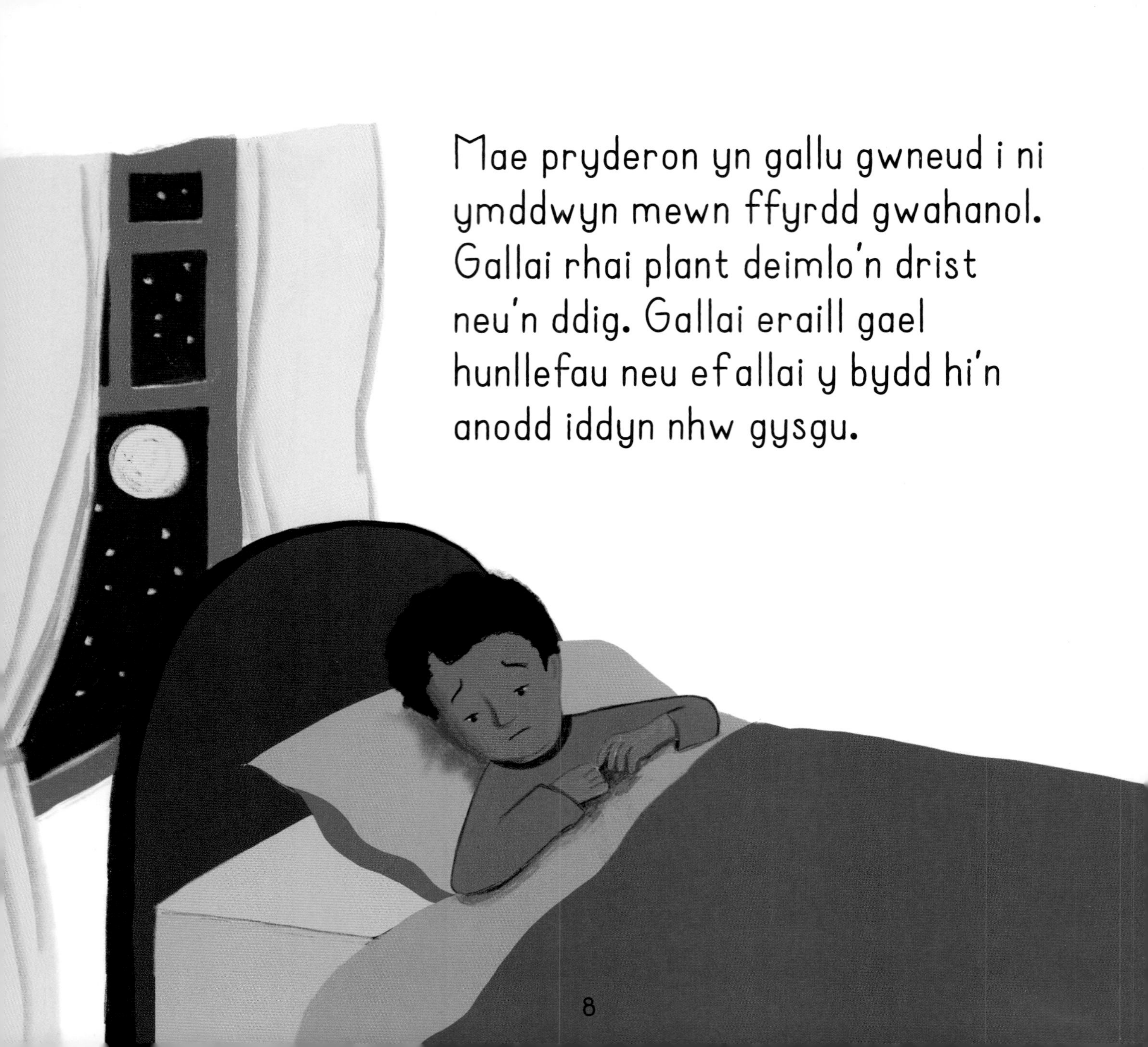

Mae pryderon yn gallu gwneud i ni ymddwyn mewn ffyrdd gwahanol. Gallai rhai plant deimlo'n drist neu'n ddig. Gallai eraill gael hunllefau neu efallai y bydd hi'n anodd iddyn nhw gysgu.

Mae'n bosib y bydd hi'n anodd i ti ganolbwyntio neu y byddi di'n ofni rhoi cynnig ar bethau newydd. Neu efallai na fyddi di eisiau mynd i'r ysgol neu dreulio amser oddi wrth dy anwyliaid.

Weithiau, mae pryderu'n gallu bod yn ddefnyddiol gan ei fod yn rhoi gwybod i ni fod rhywbeth o'i le a bod angen i ni ofyn am help. Petai dy ffrind yn cael ei anafu ar fuarth yr ysgol, byddet ti'n pryderu amdano ac yn mynd ag ef at nyrs yr ysgol, neu'n galw ar athro.

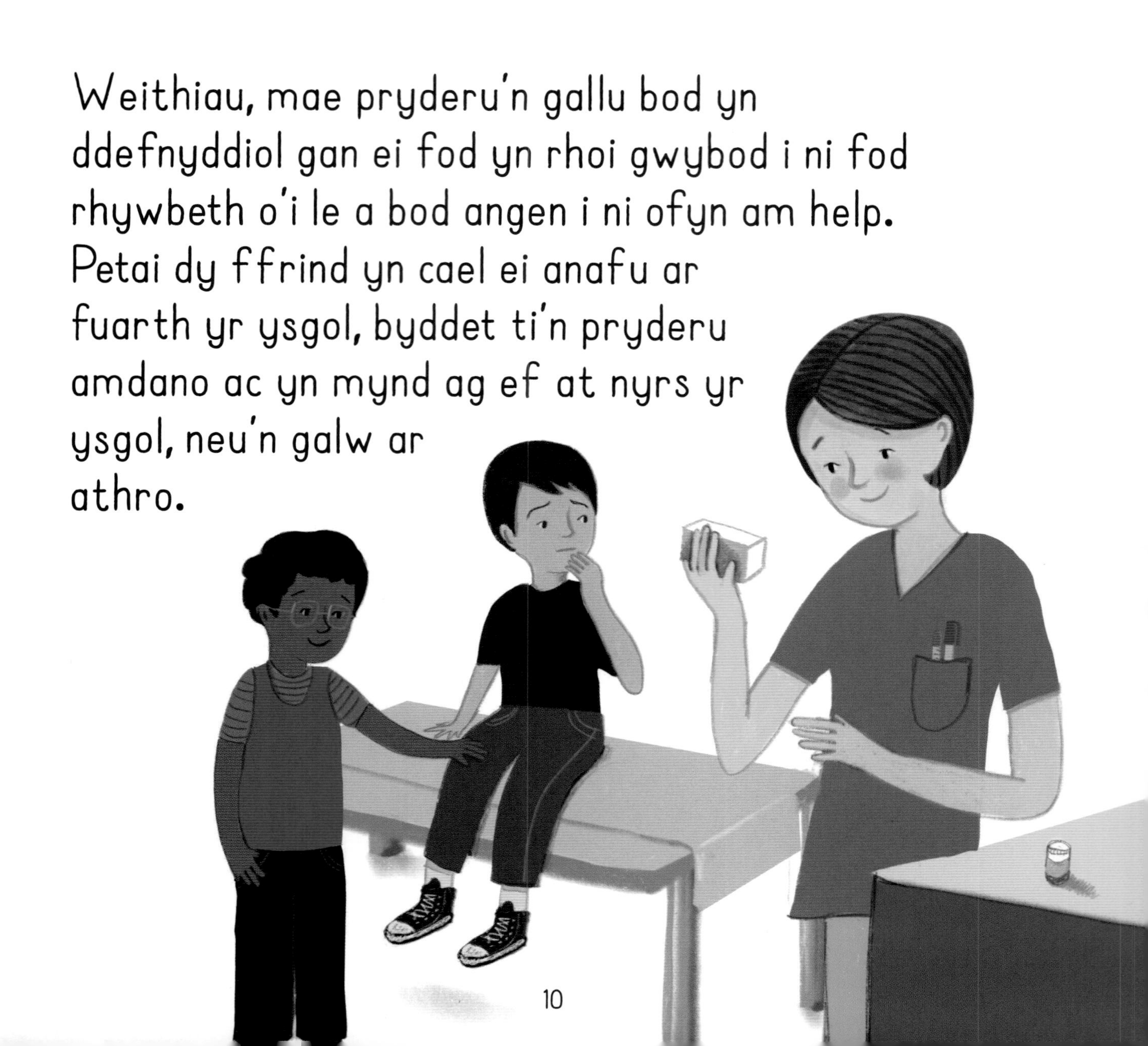

Ond dydy pryderu ddim yn ddefnyddiol bob tro, fel pan fyddwn ni'n dychmygu pethau gwael yn digwydd i ni er nad oes dim byd o'i le.

Weithiau, rydyn ni'n pryderu am bethau drwg yn digwydd trwy ofyn cwestiynau 'Beth petai' i ni ein hunain, fel 'beth petawn i'n syrthio allan o goeden?' neu 'beth petai fy nghi i'n sâl?'

Pa gwestiynau fyddet
ti'n eu gofyn i ti dy hun?

Meddyliau anghyfeillgar yw pryderon, dim byd mwy. Mwya'n byd rydyn ni'n eu meddwl nhw, mwyaf gorbryderus maen nhw'n gallu gwneud i ni deimlo.

Ond mae yna newyddion da! Er bod y meddyliau hyn yn teimlo'n real, dydyn nhw ddim.

Dim ond meddyliau ydyn nhw. Dwyt ti ddim yn gallu dal meddwl yn dy law na gweld ei siâp.

Rho gynnig ar hyn: meddylia am eliffant pinc. Wyt ti'n gallu gweld un yn dy feddwl? Dim ond syniad yw'r eliffant pinc. Dwyt ti ddim yn gallu ei gyffwrdd na'i arogli, wyt ti?

Mae'r un peth yn wir am bryderon. Er nad yw'r pryderon yn bethau go iawn, mae ein cyrff yn dal i deimlo'n orbryderus pan fyddwn ni'n meddwl amdanyn nhw. Mae ein cyrff yn credu bod y pryderon yn real!

Beth alli di ei wneud i deimlo'n well pan fyddi di'n pryderu? Yn ffodus, mae pob math o bethau'n gallu helpu.

Fe alli di ddewis hoelio dy sylw ar rywbeth sy'n digwydd nawr yn hytrach na phryderu am y dyfodol. Mae canolbwyntio ar dy anadlu yn ffordd dda o ddechrau arni.

Ceisia deimlo'r aer yn mynd i mewn i dy drwyn wrth i ti anadlu i mewn, ac allan o dy drwyn wrth i ti anadlu allan. Sylwa ar y gwahaniaeth rhwng y ddwy anadl.

Galli di sylwi hefyd ar yr hyn sy'n digwydd o dy gwmpas di. Os wyt ti y tu allan, mae'n bosib dy fod di'n gallu teimlo gwres yr haul ar dy groen neu weld lliwiau a siapiau planhigion a choed.

Mae gwrando ar synau yn gallu dy helpu i ymlacio: adar yn trydar, awel yn chwythu neu gerddoriaeth yn chwarae. Faint o synau gwahanol wyt ti'n gallu sylwi arnyn nhw?

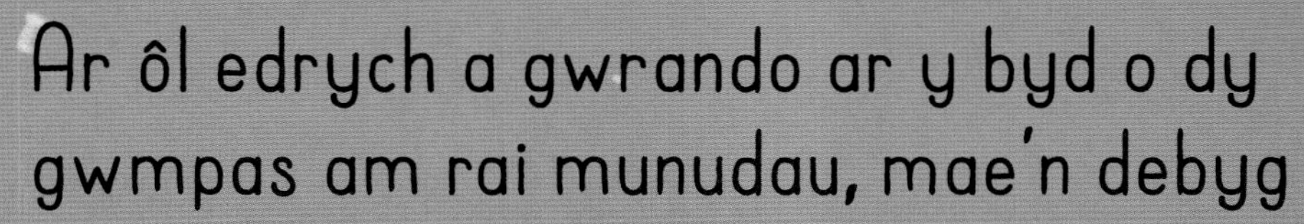

Ar ôl edrych a gwrando ar y byd o dy gwmpas am rai munudau, mae'n debyg y byddi di'n sylwi nad yw'r gorbryder a'r pryderon mor gryf erbyn hyn.

Beth wyt ti'n ei glywed pan fyddi di y tu allan?

Mae nodi dy bryderon ar bapur neu dynnu llun ohonyn nhw hefyd yn helpu. Ar ôl i ti wneud hyn, plyga'r papur a'i roi mewn Bocs Pryderon (gallet ti ddefnyddio bocs esgidiau neu hen focs hancesi papur).

Rho'r Bocs Pryderon ar silff neu mewn cwpwrdd. Galli di agor y bocs ar ddiwedd yr wythnos a'i wagio o'r pryderon. Efallai y byddi di'n sylwi nad ydyn nhw'n bryderon bellach.

Weithiau, y cyfan y mae angen i ni ei wneud pan fyddwn ni'n teimlo'n bryderus yw siarad â rhywun: ein rhieni, ein gofalwyr, ein brodyr, ein chwiorydd, ein ffrindiau – unrhyw bobl rydyn ni'n ymddiried ynddyn nhw. Hyd yn oed ein hanifeiliaid anwes!

Mae rhannu ein pryderon yn ein helpu i symud y teimladau gorbryderus allan o'n cyrff. Mae'n debyg i agor ffenest mewn ystafell glòs: mae awyr iach yn llifo i mewn ac mae pawb yn teimlo'n well.

Mae hi hefyd yn help i ni gofio bod pethau'n aml yn ymddangos yn waeth yn ein dychymyg nag ydyn nhw mewn gwirionedd...

...ac rydyn ni'n ddewrach a chryfach
o lawer nag rydyn ni'n ei feddwl!

Nodiadau i rieni ac athrawon

Fel rhiant, athro neu warcheidwad, y peth pwysicaf y gallwch ei gynnig i blentyn pryderus yw eich amser a'ch sylw. Gwrandewch ar ei bryderon. Dywedwch wrtho fod pryderu'n beth hollol normal, bod pawb yn profi pryder o bryd i'w gilydd. Unwaith y byddwch chi wedi darparu lle diogel, heb feirniadaeth, i'r plentyn fynegi ei bryderon, bydd yna ffyrdd effeithiol o helpu i'w lleddfu. Dyma rai awgrymiadau:

Eglurwch i'ch plentyn mai dim ond meddyliau yw ei bryderon. Mae meddyliau fel traffig: maen nhw'n mynd a dod; weithiau, maen nhw'n dod yn un llif, weithiau ddim. Mae cael eich dal mewn traffig yn gallu bod yn ddigon annymunol, ond yn hwyr neu'n hwyrach bydd y ffordd yn clirio a bydd sŵn y traffig yn pylu. Rhywbeth tebyg yw pryderon: mae meddwl amdanyn nhw'n gallu bod yn swnllyd ac yn annymunol, ond os ydyn ni'n amyneddgar rydyn ni'n sylwi nad ydyn nhw'n para.

Mae meddyliau sy'n achosi pryder fel arfer yn ymddangos yn y corff fel teimladau annymunol. Drwy adnabod ac enwi'r teimladau hyn mewn modd tawel a charedig, rydych yn helpu eich plentyn i ymdopi â'r profiad annymunol heb chwyddo'r pryder na'i ystyried yn rhywbeth trychinebus. Mae symud sylw o'r pryder i synhwyro'r anadl yn gallu tawelu'r gorbryder sy'n gysylltiedig â phryderu – rhywbeth hawdd ei wneud mewn ychydig iawn o amser.

Bydd cael digon o gwsg, deiet dyddiol iach a chytbwys ac ymarfer corff rheolaidd yn hybu llesiant corfforol a meddyliol, yn ogystal â helpu i baratoi plant i reoli pryder a gorbryder yn well.

Gweithgareddau dosbarth, grŵp neu gartref

1. Trafodwch sut mae modd ymdrin â phryderon drwy ddefnyddio 'Lori Pryder'. Gofynnwch i blant wneud eu 'Lori Pryder' eu hunain drwy ysgrifennu eu pryderon ar stribedi o bapur i'w rhoi y tu mewn iddi. Mae'r lori'n cario'r pryderon i ffwrdd, ac ar ddiwedd y dydd, gallwch dynnu'r papurau allan a'u hailgylchu.

2. Gofynnwch i'r plant ddychmygu unrhyw deimladau annymunol fel patrymau tywydd yn y corff. Gwahoddwch y plant i rannu'r hyn maen nhw'n sylwi arno: 'Ble wyt ti'n teimlo'r pryder tywydd yr eiliad hon?' (yn aml, mae hyn yn y frest, y bol, y llwnc neu'r pen). Yna gofynnwch iddyn nhw ddisgrifio'r teimladau i chi, fel pe baen nhw'n gyflwynwyr tywydd ar y teledu yn disgrifio'r tywydd diweddaraf. Fel gyda'r Lori Pryder, maen nhw'n dechrau sylwi nad yw'r teimladau hyn yn ddim mwy na theimladau a'u bod, fel y tywydd, yn gyfnewidiol.

3. Un ymarfer anadlu effeithiol er mwyn ymdawelu yw anadlu 7–11. Anadlwch i mewn drwy'r trwyn gan gyfrif i 7, cymerwch saib, yna anadlwch allan drwy'r trwyn gan gyfrif i 11 (gwnewch hyn ychydig o weithiau). Mae hyn yn galluogi'r anadl allan i fod yn hirach na'r anadl i mewn, sy'n ysgogi'r system nerfol barasympathetig. Dyma'r system sy'n gyfrifol am leddfu'r ymateb straen yn y corff.

Rhagor o wybodaeth

Llyfrau

Sut Wyt Ti'n Teimlo Heddiw? gan Molly Potter a Sarah Jennings (Rily, 2021)

Exploring Emotions: A Mindfulness Guide to Exploring Emotions (Mindful Me) gan Paul Christelis ac Elisa Paganelli (Wayland, 2018)

The Huge Bag of Worries gan Virginia Ironside a Frank Rodgers (Hodder Children's, 2011)

Gwefannau

meddwl.org (gwybodaeth yn Gymraeg i oedolion, pobl ifanc a phlant)

childline.org.uk (yn cynnwys adran ar orbryder, straen a phanig. Yn rhoi gwasanaeth yn Gymraeg)

mind.org.uk/cy/mind-cymru (elusen iechyd meddwl genedlaethol)

meiccymru.org (llinell gymorth gwybodaeth, cyngor ac eiriolaeth i blant a phobl ifanc)

youngminds.org.uk (cymorth i blant ymdopi â phroblemau iechyd meddwl)

anxietyuk.org.uk (cymorth i oedolion a phlant)

Mae'r cyhoeddwyr wedi gwneud pob ymdrech i sicrhau bod y gwefannau a nodir yn y llyfr hwn yn addas i blant, eu bod o'r gwerth addysgol uchaf ac nad ydynt yn cynnwys unrhyw ddeunydd amhriodol na sarhaus. Fodd bynnag, oherwydd natur y Rhyngrwyd mae'n amhosibl gwarantu na fydd cynnwys y safleoedd hyn yn cael ei newid. Rydym yn cynghori'n daer fod oedolyn cyfrifol yn goruchwylio plant pan maen nhw'n defnyddio'r Rhyngrwyd.